BY THE SHORES
O'GALILEE

BY THE SHORES
O'GALILEE

Stories from the gospels
in Scots Verse *by*

Robert Stephen

Illustrated by

Robert Ward

AULTON PRESS

First published in 1989 *by*
AULTON PRESS
Ardallie, Peterhead,
Scotland AB4 8BP

British Library Cataloguing in Publication Data
Stephen, Robert, 1949 –
"By the shores o' Galilee" : stories from the Gospels
in Scots verse.
I. Title
821'.914
ISBN 0 – 9512459 – 1 – 0

Designed & Produced by Aulton Press
Typeset in Baskerville by **ex-height**, Aberdeen
Printed by M & A Thomson Litho Ltd., Glasgow
Printed on Consort Royal Silk 150gsm, manufactured by
The Donside Paper Company Ltd., Aberdeen

for Bert and Peggy

A*CKNOWLEDGEMENTS*

I should like to thank . . . .
my artist Rob Ward for his hard work, sympathetic
interpretation of the poems and beautiful paintings;
Eileen who planted the seed; my models Arthur and Bill;
and Elizabeth my wife, publisher and valued adviser, for
her support and encouragement.

CONTENTS

PLATES

APPENDICES

FOREWORD

THE **BIBLE** is a story book telling its stories, not just for the religious but for humanity. It is the revealed truth of God's relationship to Man, as foreseen by the Prophets in the books of the Old Testament and the life of Christ as witnessed by the Apostles in the New. They told their stories in their own language for their own time, and whether their Mother Tongue was Aramaic or Hebrew, they used a dialect that came naturally to them. It was the nearest, therefore the most telling and immediate.

It was more than a hundred years before the New Testament was translated into Greek (The Septuagint) and another hundred again before it was translated into Latin (The Vulgate). This served the entire Christian world for more than a thousand years till King James VI and I gave the English-speaking races their Authorised Version in 1611. This is the Book by which most of us first learned the Bible Story and the biography of Jesus Christ. The cadences of this translation have helped shape the English language down through the centuries, and its thoughts and phrases have entered the national consciousness and become part of the English identity.

But even though the King James Bible was named for a native-born Scot, it was not Scottish, either in style or vocabulary. It did not speak directly to us, but tangentially, from the conventional English angle. However superbly worded and roundly sounded, the Bible came to most Scots at second-hand. There was a need to re-phrase and re-tell the familiar, to jog the traditional.

With the success of the 1983 Lorimer Bible in Scots, the 'Biblical Balads' of Angus-born James S. Adam and the huge sales of the Concise Scots Dictionary since 1985, not to mention Jamie Stuart's one-man show based on the St Mark's Gospel in Scots, and Billy Kay's recent television programmes, it would seem that in our generation, linguistically-speaking at least, we are entering a new Scotch Age.

Given that the Gaelic is an historical language, Scots, as spoken in Scotland today, can be generally divided into four regional dialects – Highland, North Eastern, Central and Southern. Dr Stephen has chosen, wisely, to speak in his own North-Eastern tongue. This is the tongue he was born into, much as Matthew, Mark, Luke and John grew up with the Semitic languages. God gave Dr Stephen *'a guid Scots tongue in his heid'* and he uses it in his rhymes to speak as simply and sincerely to us today as the first Gospel recorders did to people in their own time.

As with the Apostles, there is complete contemporaneity here. Nothing much has changed in human nature in two thousand years, and folk are still folk, in all their diversity and unexpectedness. You can read that here in every story. There is a tang of fisher-folk in this book. And wasn't St Peter a fisherman, not to mention our own patron saint, St Andrew? We see the life of the Christ-figure against a background of real folk *'gaun aboot their business'* much as they still would do today in Peterhead.

In a series of charming, simple verses Robert Stephen tells the story of Christ, the God made man. In this, he is ably served by his illustrator, Rob Ward, who has caught neatly and graphically the unique atmosphere of Galilee come to Buckie in 1989!

JOHN CAIRNEY
'The Man Who Played Robert Burns'
Glasgow – April 1989.

*T*he Shepherds
and the Angels

The nicht was caul; the oor was late;
The shepherds huddled roon
Their watch-fire on the darklin hills
Abeen the little toun.

The moon had set; the silent stars
Were shinin hard an clear
When aa the sky was lichted up;
The shepherds turned in fear.

An awesome and a wondrous sicht,
Siclike they'd never seen:
An angel, shinin like the sun;
The brichtness hurt their een.

"Ye needna fear; I bring good news,"
They heard the angel say.
"In David's toun, in Bethlehem,
Is born to you this day

"A Saviour which is Christ the Lord;
Born till a humble maid,
Ye'll find him wrapped in swaddlin claes
And in a manger laid."

The splendid licht shone brichter still;
It shone aa roon the hills
An turned the darkness into day;
A mighty music swelled.

The air was filled wi shinin forms.
"Glory to God on high,
An peace on earth," the angels sang;
Their voices filled the sky.

At length the vision died awa;
The shepherds stood themsels;
The nicht grew black; the win blew chill
Upon the lonely hills.

But in their herts there burned a flame,
A peace, a shinin hope;
They pondered what the angel said
An lookit doon the slope.

The lichts o' Bethlehem shone clear
Below the darklin hills.
"A wondrous thing's been wrocht this nicht;
Let's see it for wirsels."

The shepherds went to Bethlehem;
They ran near aa the wye;
And in a stable by the inn
They heard a bairnie cry.

They chappit at the stable door
An Joseph let them in;
They saw the bairnie lyin there,
An fell an worshipped Him.

The Journey
of the Magi

The desert air was sharp an clear;
The stars shone clear an bright;
But nane sae brightly as the star
They'd followed mony a night.

For mony nights an mony miles
It led them ever on;
And aye the further to the West,
The brigher aye it shone.

Throwe calm an storm it led them on,
Throwe craggy mountains bare,
Throwe empty desert, grassy plain,
An valleys lush an fair.

They spurred their weary horses on;
Their banes were stiff an sair;
But now they neared their journey's end:
They'd surely find him there.

The king was in his banquet hall;
The banquet had been spread;
The captain o' the guard came in.
"Forgive me, Sire," he said.

"There's strangers at the palace gates,
An strange the news they bring:
They say they've traivelled fae the East
To worship the new king.

"They've come a bonny wye I'd say
Or I'm nae judge o' men.
I havena seen their like afore.
Div ye want to let them in?"

The strangers stood afore the throne;
King Herod shook his head.
"There's nae new king in Israel;
But tell's again," he said.

"We saw his star rise in the East:
A strange an wondrous thing.
We've traivelled mony weary miles
To worship your new king."

"Send for the priests!" roared Herod.
"There's something funny here."
He glowered at the strangers
In their quaint, outlandish gear.

The high priest rolled the parchment up.
"That's what the scriptures tell:
Fae Bethlehem shall come a king
To rule owre Israel."

King Herod's face was white wi rage,
But his words were saft an sweet.
"Some watter for wir honoured guests;
They'll want to wash their feet.

"Ye'll join us in a simple meal,
 My noble sirs?" he said.
"And if ye'd like to bide the night,
 Ye're welcome till a bed.

"Syne the morn, when ye're rested,
 Ye can set aff once again;
 It winna tak ye lang ava
 To ride to Bethelehem.

"An when ye've found the bairnie,
 Be sure to come an tell's;
 I want to gang an see him
 An worship him mysel."

Next night the star shone bright an clear
High in the Eastern sky.
They followed it to Bethlehem;
It led them aa the wye.

It cheered their herts to see it shine
High in the lift abeen;
They'd followed it sae lang it seemed
To smile like a weel-kent freen.

It stopped abeen the little toun:
A strange an wondrous thing;
And in a stable by the inn
They found the infant King.

The wise men fell an worshipped Him
Wha's birth the star foretold,
Syne laid their treasures at his feet:
Myrrh, frankincense an gold.

That night, as they lay sleepin,
God warned them to gang hame
By secret paths an hidden wyes,
An nae the road they came.

By secret paths an hidden wyes
They reached their land again,
Praisin God for the wondrous star
That led them to Bethlehem.

Simeon's Song

In the city o' Jerusalem
An aul man knelt to pray.
"I thank thee for thy mercies, Lord,
To thy servant on this day.

"My days are weerin deen, O Lord;
I canna hae that lang;
Please let me see thy Chosen One
Jist once afore I gang."

God's Spirit spoke to Simeon
As he bowed his heid in prayer.
"Tak yoursel up to the temple;
Ye'll find him waitin there."

The aul man hirpled throwe the streets;
A licht shone in his face.
At last his hope would be fulfilled;
He praised God for his grace.

The temple court was crowded,
But he saw her staunin there
Wi her bairnie in her oxter;
He breathed a silent prayer.

He took the bairnie fae her airms
As Mary stood amazed.
The aul man's face was rapt wi joy.
"The Lord my God be praised!

"Now let thy servant gang in peace,
Accordin to thy word,
For he has seen thy Chosen One.
I praise thy name, O Lord.

"This day thy Christ has been revealed:
Thy blessin an salvation;
A glory unto Israel;
A licht for aa the nations."

The tears were runnin doon his face;
The aul man bowed his head
An handed back the bairnie.
"God bless ye, lass," he said.

"Your bairn will cause some men to rise,
And ithers still to fa;
An sorrow's sword will pierce your soul
An brak your hert in twa."

That nicht his words came back to her:
Baith future joys an woes.
She thanked God for the present
An held her bairnie close.

The Boy Jesus

The Passover was ower
For anither year again
An the narra streets were crowded
As the folk set oot for hame.

"Ye havena seen oor Jesus?"
Mary speired at aa her freens.
"I've nae seen him since this mornin;
I winner whar he's gaen."

"Och, he's probably wi my twa;
They were up aheid a while.
I expect we'll catch them up
In anither twathree mile."

They had stopped to mak their supper
An the day was nearly deen
When his parents realised
He was naewye to be seen.

They went back to Jerusalem
Whar they searched the busy toun,
Roon aa the markets an bazaars,
To try an find their loun.

For three lang days they lookit;
Mary grat an Joseph cursed.
He was naewye to be gotten;
They began to fear the worst.

There was one last place to try
In their sorrow an despair,
So they went up to the temple
An they found him sittin there:

In the court, among the scholars
An the doctors o' the law.
Mary turned an looked at Joseph,
Disbelievin what she saw:

He was listenin to their teachin
An the scholars were amazed
At the wisdom o' his answers
An the youngness o' his age.

"My loun, how could ye dee this till's?
We've lookit lang an sair.
Did ye nae think we'd be worried
When we found ye werna there?"

Jesus lookit at his mither.
"Ye've been worried aboot me?
I've been *here:* in my father's hoose.
Did ye nae ken whar I'd be?"

He ran an hugged his mither
An they left the temple court;
But Mary thocht aboot these things
An kept them in her hert.

At Nazareth the loun grew strong
In body and in mind;
Beloved by God, weel-liked by aa,
He grew to manhood's prime.

*F*ishers of Men

The Lord was preachin to the folk
Along the shore ae day.
A muckle crowd had gaithered
To hear what he'd to say.

He saw twa boaties lyin there,
Tied up against the pier.
He climmed aboord the nearest ane;
The crew was mendin gear.

He said to Peter, "Leave your nets;
There's better things to dee
Than washin nets an mendin gear
On the shores o' Galilee.

"Let go the ropes an tak your boat
A bittie aff the beach,
So I can speak to aa the folk
That's come to hear me preach."

Syne Peter rowed the boatie oot
An pit his anchor doon.
The Lord sat in the boat an spoke;
The folk came crowdin roon.

When the Lord was finished preachin
He turned an spoke to Peter:
"Let's gang an shot the nets awa,
Oot whar the watter's deeper."

"O Maister, we've chauved hard aa nicht
An havena seen a scale.
But if ye like, we'll try a haul;
We'll dee it for yoursel."

They sailed across the loch a bit
An shot awa the gear.
But when they came to haul the net,
The net began to teir.

"I've never seen a haul like this!"
Said Peter till his brither.
"We canna lift the net for fish!
Ye'd better get the ithers."

Andrew shouted to their neipers
Wha were in the ither boat:
"Ye'd better come an gie's a haun,
Or else we'll loss the lot."

Syne James an John, their neipers,
The sons o' Zebedee,
Let go their ropes an rowed across
To see what they could dee.

The weicht o' fish they hauled aboord
Was mair than they could haunle,
For the boaties started sinkin,
Jist stappit to the gunnels.

The fishers were astonished
As they rowed their boats ashore;
They'd never seen sae mony fish
Ta'en in a net afore.

Then Peter fell doon on his knees.
"O Maister, let me be,
For I am jist a sinfu' man;
Ye canna truck wi me."

But Jesus smiled an raised him up.
"I need your help ye ken.
Come, leave your nets an follow me:
We're gaun to fish for men."

The fishers hauled their boats ashore
An took their anchors in.
Syne, leavin boats an nets an gear,
They went an followed Him.

*T*he First Miracle

The mairriage feast was ower
An the wine was nearly deen;
The guests were gettin tipsy
As the jars were gettin teem.

They were ready for the dancin,
Wi the tables cleared awa,
When Mary turned to Jesus.
"They've got nae wine left ava."

He lookit at her empty glaiss.
"Woman, what is that to me?
Ye ken my time's nae come yet;
What am I supposed to dee?"

But his mither telt the servants
Wha were staunin by her seat:
"Dee whatever Jesus tells ye;
Dinna question him, jist dee't."

Close aside whar they were staunin
Were some muckle watter-jugs;
Each ane held near thirty gallon
If ye filled it to the lugs.

Then when Jesus asked the servants,
"Would ye fill them to the brim?"
They aa looked at ane anither;
But they did it, jist for him.

When they'd filled the jugs wi watter
He said, "Draw a pitcher up.
Gang an tak it to your maister;
Let him taste it in his cup."

When the maister tried the watter
He was mightily impressed.
"O' aa the wine I've tasted,
This is *definitely* the best!

"I've haen wine fae mony places,
Reed an white, an sweet an dry;
But this vintage far surpasses
Ony wine I've ever tried."

Syne the maister gave a toast
As he lifted up his cup:
"*The Bride an Groom!* Mair drinks aa roon;
A'body fill your glaisses up."

Thus did Christ reveal his glory
Wi this first an wondrous sign,
At the mairriage feast in Cana:
Turnin watter into wine.

Jesus Calms the Storm

The bleed-reed sun was sinkin
Owre the mountains to the West,
In the quaet o' the evenin,
As the Lord sat doon to rest.

He was sittin by the watter
Underneath a muckle tree,
Whar he'd taught the crowds since mornin,
On the shores o' Galilee.

He spoke to his disciples
As the evenin shadows fell:
"Gang an mak the boatie ready;
It's a gran nicht for a sail.

"If ye tak me to Gadara
We could fairly save some time;
I've to preach owre there the morn
An the change would suit me fine;

"For my feet are sair wi walkin
An the road's gey lang an roch.
I can maybe get a nap in
As we sail across the loch."

They cast the ropes an hysed the sail;
The sail began to draw.
The early stars were shinin pale
As the boatie bore awa.

When they were only half across
The sky grew overcast;
A sudden squall came shriekin doon;
They felt its icy blast.

The boatie shuddered in the gust;
She heeled an dipped her rail.
"Stand by!" shouts Peter. *"Ease your sheets;*
We'll hae to dowse that sail."

It was bla'n a livin tempest
By the time they got it in.
"Get your oars oot!" shouted Peter.
"Keep her heid up to the win."

Syne a muckle lump o' watter
Came aboord the weather rail.
The disciples started bailin,
But their herts began to quail;

For the seas rose up like mountains
As the boatie dived an tossed,
An the win shrieked in the riggin,
An they thocht they'd aa be lost.

Jesus sleepit throwe the turmoil,
In the stern sheets whar he lay
Wi his heid upon a cushion,
For he'd haen a tirin day.

"O Maister, Maister, *wauken up!*
The boatie could gang doon;
She's ta'en an afa watter;
Muckle mair an we'll aa droon."

Then Jesus stood up in the stern;
The win blew loud an shrill.
He raised his haun an, lookin up,
Commanded, "Peace! Be still!"

The ragin seas abated;
The howlin win fell still;
The crescent moon was risin
Abeen the distant hills.

He spoke to his disciples
As the watters settled doon:
"What wye were ye sae feart?" he said.
"Did ye think I'd let ye droon?"

Half in fear an half in wonder
They speired, "Wha can this be
That commands the winds an watters
An can tame the ragin sea?"

Jairus's Daughter

The Lord was speakin to the folk
That thronged the village street;
A man came pushin throwe the crowd
An fell doon at his feet.

The mannie's name was Jairus,
A weel-respectit chiel,
A ruler o' the synagogue;
The folk aa kent 'im weel.

"O Lord, my lassie's deein;
Please help her if ye can.
Please come an see her onywye;
I ken ye're a good man.

"She's twelve 'ear aul, my only bairn,
An smitten wi the fever.
Please come an lay your hauns on her;
I *ken* that ye could save 'er."

"A'richt," said Jesus. "Whar's your hoose?"
"It's up the brae," said he.
"Come on then, Jairus, lead the wye;
We'll see what we can dee."

The Lord an Jairus climmed the brae;
The folk came on ahin.
A woman reached oot throwe the crowd
An touched the Master's hem.

"Wha touched me then?" said Jesus.
"I'm sure I dinna ken," said Peter.
"Look at aa this crowd!
It must be some o' them."

The woman steppit forward;
She stood an bowed her head.
"I touched you, Lord. Forgive me.
I meant nae wrang," she said.

"For twelve lang 'ear I've been naeweel."
She trembled as she spoke.
"I kent your power would heal me,
Could I but touch your cloak."

Then Jesus smiled an said to her:
"Ye kent my power would heal?
Praise God! Lass, gang your wye in peace;
Your faith has made ye weel."

A man came runnin doon the brae;
His face was flushed an reed.
"Ye needna bring the teacher now:
Jairus, your lassie's deid."

But Jesus spoke to Jairus
An took him by the sleeve.
"Jist trust in me; she'll be a'richt
If only ye believe."

They reached the hoose built on the hill
That lookit owre the toun.
The mourners stood there greetin;
The folk aa crowded roon.

"What's aa this cairry-on aboot?"
Said Jesus. "Stop your greetin.
Come, dry your een; she'll be a'richt;
The lassie's only sleepin."

He went to whar the lassie lay
An sat doon by the bed,
Then reached across an took her haun.
"Get up, my lass," he said.

The lassie woke an rubbed her een;
The Lord looked up an smiled.
"Your dother's fine; bring her some maet."
The mither hugged her child.

PLATE *1*

Fishers of Men

"Come, leave your nets an follow me . . ."

PLATE *2*

Who will cast the First Stone?

They made her stand in front o' him . . .
She hung her heid in shame.

Jesus in Nazareth

It was on the Sabbath mornin
An the Lord had gaen back hame
To the village whar they kent him,
To his ain folk once again.

The synagogue was crowded
As the Lord stood up to teach;
They'd aa heard aboot his powers,
So they'd come to hear him preach.

The readin fae Isaiah
Reassured the doubtful folk;
They nodded in approval
At the gracious words he spoke

Aboot freedom for the prisoners
An good news for the peer.
But then he started sayin things
They didna want to hear

Aboot prophets in their hame touns,
An fulfillment o' God's plan.
Wha was this Jesus onywye?
He was jist a common man.

"Whit impidence! How dare he!"
"A prophet? Joseph's loun!"
"I can mind him as a bairn
 When they first came to the toun."

"Aye, he workit as a jiner
 In his father's shop ye ken;
 Now he thinks he's something special;
 We're nae good enough for him."

The angry mob rose to their feet
An drove him fae the toun,
Syne took him up a steeny brae
Whar they planned to throw him doon.

But Jesus turned an faced the mob;
They hung their heids in shame;
He walkit throwe the craven crowd
An went his wye again.

*F*eeding the
Five Thousand

The Lord an his disciples
Were makkin for the hills;
They had sailed across the watter
To spend some time themsels.

But a crowd o' folk had gaithered
When they reached the ither side;
They had come to hear him preachin;
They had come fae far an wide.

An mair were comin aa the time:
The blin, the sick, the lame;
Aa hopin for a miracle,
Fae near an far they came.

"Whar's aa this folk fae onywye?"
Said Peter. "Whit a steer!
I've never seen a crowd like this;
How did *they* ken we're here?"

But Jesus took him by the airm;
He shook his heid an smiled.
"Now Peter, dinna be like that;
I'll speak to them a while."

Aa day he walked among the crowds
An healed the sick an lame,
An taught them mony different things
Until the evenin came.

Syne his disciples said to him,
"O Lord, it's gettin late;
Ye'll hae to send the folk awa
To gang an get some maet.

"We've nae enough to feed wirsels;
We canna gang an buy;
There's near five thoosan men alone,
An wifes an bairns forbye."

But Jesus said, "We'll feed them here.
Come, show me what ye've got.
We'll manage something, never fear;
We dinna need a lot."

"We've only got five barley loafs
An twa sma fish: that's aa.
Ye'll never feed five thoosan folk;
That winna dee ava."

"That's plenty maet," the Lord replied.
"We'll gie them aa their denner.
Jist sit them doon upon the grass
In fifties and in hunners."

The Lord gave thanks an broke the loafs.
"Now hand them roon," he said;
Syne took the fish an did the same
Till a'body was fed.

When the folk had finished aetin
As much as they could sup,
They got aa the maet left ower
An filled twelve baskets up.

*J*esus walks
on the Water

The nicht was closin in aboot
On the shores o' Galilee
As the boatie focht to winward
Throwe the risin wind an sea.

The Lord had sent them on aheid
To cross the loch themsels;
He needed time to think an pray,
So he'd gaen into the hills.

They werna makkin muckle speed
As they struggled wi the oars,
For the win was deid against them,
Heidin for the Northern shore.

Weet an caul, the tired disciples
Grummled as they focht the gale:
"I winner why he left us
To face the storm wirsels?"

It fell aboot the darkest oor
In the fourth watch o' the nicht,
When spirits sink to lowest ebb
An fears are at their heicht,

The Lord came walkin oot to them
But they never kent his form;
They thocht it was a ghost
In the darkness o' the storm.

"Gweed save us!" shouted Peter.
"There's a ghost upon the sea!"
"It's a'richt, lads," said Jesus.
"Dinna fear: it's only me."

"If it really is you, Maister,
I'll come tae ye," Peter cried.
"And I'll walk across the watter
Till I'm staunin by your side."

"A'richt, Peter; on ye come then."
Peter kent his Maister's word,
Left the boat an started walkin
Owre the watter to his Lord.

As the seas towered high abeen 'im
Peter saw that he could droon;
He panicked at the thocht o't
An started to gang doon.

"Maister! Save me!" Peter shouted.
Jesus caught him by the airm.
"Peter, Peter, whar's your faith at?
I'll nae let ye come to hairm."

They climmed in owre the boat again;
At once the win fell still;
Dawn's rosy fingers touched the sky
Abeen the Eastern hills.

Seen they came to Gennesaret
Whar they pit their anchor doon
As the early mornin sunshine
Waukened up the little toun.

*W*ho will cast
the First Stone?

It was early in the mornin
An the folk had gaithered roon
In the courtyard o' the temple
Whar the Lord was sittin doon.

He was teachin them God's message
When some scribes an pharisees
Brocht a lassie in for judgement,
Jist to see what he would dee.

They made her stand in front o' him;
Her face was racked wi pain.
"This woman's an adulteress!"
She hung her heid in shame.

"She's been unfaithful till her man;
We caught her in the act.
The scriptures say she ocht to dee.
What d'ye say to *that*?"

They'd laid this trap to catch him oot,
The teachers o' the law;
But Jesus never gave a sign
He'd heard them speak ava.

He bent doon an started writin
Wi his finger on the grun.
The pharisees were furious,
But he never took them on.

"*Come Maister!* tell us what's to dee.
Ye ken we caught her cheatin.
We want your judgement *here an now.*"
The lassie started greetin.

At length he stood an looked at them;
A fire was in his een.
"Let he that's *never sinned*", he said,
"Be first to cast a steen."

The pharisees fell silent
As they pondered Jesus' words.
Then one by one they went awa
An left her wi the Lord.

Then Jesus stoppit writin
An lifted up his head.
"Has naebody condemned you?"
"No sir. Naebody," she said.

Jesus lookit at her kindly.
"Nor div I condemn ye then.
Lassie, g'wa hame to your husband;
Keep ye leal an true to him."

Jesus and the Little Children

The crowds had gaithered roon aboot
To hear the Master's word.
Some mithers brocht their bairnies oot
To show them to the Lord.

"He's mair adee than speak to bairns,"
The dour disciples cried.
"The folk have come to hear him preach;
Ye'll hae to staun aside."

But Jesus heard their angry words.
"O let the craiturs be.
An dinna haud them back," he said,
"But let them come to me;

"For I will tak these little lambs
An haud them in my airms,
An they shall by my precious flock,
These simple, trustin bairns.

"God's Kingdom is of such as these:
Unless ye trust like them,
Wi bairnlike hert an bairnlike faith,
Ye canna enter in."

The Sower
and the Seeds

Caul Winter's grip had lost its haud
In the sweet breath o' Spring.
New green shone fresh on leaf an bud,
An larks were on the wing.

A crofter, walkin throwe the park,
Had come to sow his seed;
The teuchats rose up at his feet
An wheeled abeen his heid.

Some seed fell on the chingle path
That ran along the wa;
The cras came doon and ate it up
Till nane was left ava.

Fae morn till nicht, across the park,
The sower sowed his seeds;
But some fell onto steeny grun
An some fell into weeds.

As Spring wore on the April sun
Shone warm across the howe
An waukened up the sleepin laan;
The seeds began to growe.

The seeds that fell on steeny grun
Were first to pit up shoots;
But, as the grun was shalla there,
They couldna pit doon roots.

The summer sun shone brichter aye
An scorched the plants wi heat;
Because they had nae depth to them,
They shrivelled up an deet.

The seeds that fell among the weeds
Grew bonny in the sun;
But seen the weeds were owre their heids
An choked them, one by one.

But seeds that fell on fertile grun
Grew strong an healthy there;
Each ane that came was multiplied
A hunner times an mair.

The Lost Sheep

A black-faced lamb set oot ae day
To clim the mountainside.
Abeen the shieling, up the brae,
He wandered far an wide.

He'd scunnered wi the ither lambs
An playin stupid games;
He ca'd them *"mutton-heided bams"*
And ither silly names.

He kent he shouldna leave the flock
Nor wander fae the park;
But it was only one o' clock
An he'd be back or dark.

He climmed on up the grassy slope
Till far below he saw
The tiny hooses, tiny folk,
An sheep like flakes o' sna.

He came across a little dell
O' sun an dappled shade;
The rowans hingin owre the burn
A leafy arbour made.

An sweetest herbs an flooers grew there:
Wild thyme an cicely;
Their perfume hung upon the air;
Speedwell an rosemary.

Weel-pleased, he cropped the fragrant turf
O' a'thing that was best.
He ate his fill an then some mair,
An laid him doon to rest.

He laid him doon upon a bank
Whar ferns grew lush an deep;
Lulled by the music o' the burn,
He drifted aff to sleep.

But time weers on for good or ill,
Hert's grief or sweetest pleasure;
Time's stream will bear them baith awa,
An naething laists forever.

By the time the lamb had waukened
The sun had left the sky;
The mountain air was chilly;
A caller win blew by.

The sunset faded in the West
As stars came prickin oot;
Below him in the valley
He heard the screech owl hoot.

He started doon the mountainside;
But then a dreadful howl
Came up the brae, borne on the win,
For wolves were on the prowl.

His little hert leapt in his throat;
He gave a feeble bleat,
Then turned an fled across the slope;
The heather caught his feet.

The boulders tripped; the brambles scratched;
The nicht air caught his breath.
He took nae thocht for steen or whin;
He ran for fear o' death.

Ower bog an brae he ran for life
Till he was nearly deen.
At last he fell exhausted
An crawled ahin a steen.

He crawled ahin a steen to hide;
His hert was sick wi fear,
As closer aye the great wolves cried;
He heard ane comin near.

He heard it paddin throwe the grass;
He heard its pantin breath;
He cowered doon ahin the steen
An waited there for death.

A big weet nose stuck in his lug;
A warm tongue licked his face;
Auld One-eyed Rob, the Shepherd's dog,
Had found his hidin-place.

PLATE *3*

Jesus and the Little Children

"God's Kingdom is of such as these . . ."

PLATE *4*

The Lost Sheep

His maister strode up throwe the dark,
A lantern in his haun.

Rob stood an barked a happy bark;
He'd found the missin lamb.
His maister strode up throwe the dark,
A lantern in his haun.

"Well done Auld Rob! my faithfu' dog,
Ye've saved the day again.
This craitur's nearly deid wi caul;
We'd better get him hame.

"I'll pit him owre my shooders
An tak him doon the brae,
Syne there's a muckle bone for you;
Ye've deen richt weel the day.

"Then we'll gang an tell the neighbours,
For they'll aa be pleased to ken,
We've found the little black-faced lamb;
Oor wanderer's hame again."

The Prodigal Son

A fairmer's loun came in ae day
An sat doon by the fire.
"I've haen enough," they heard him say,
"O' chauvin in the byre.

"Wi lambin yowes an hyowin neeps
In the pleasant land o' Buchan,
Whar winter's cauld an summer's weet,
I'm surely sair forfochen.

"So gie's my share. I'll tak it now
An change it aa for siller,
An see the world an hae some fun
Afore I'm muckle auler."

"A'richt, my loun, ye'll get your share."
His father's voice was shakkin.
"Although ye ken it grieves me sair
To see the road ye're takkin.

"Ye're nae a bairn. I've deen my best
To teach ye richt fae wrang.
God guide your steps an fare ye weel,
Wherever ye may gang."

"God guide his steps an fare him weel?"
His auler brither sneers.
"He'll spend it aa on drink an quines;
He winna laist an 'ear."

Next week the younger son set oot
For London toun to try
Maist every kind o' pleasure
That siller still could buy.

He bade in aa the best hotels;
Each day brocht fresh delights;
The painted quines that sell themsels
Would share his bed at nights.

At first he liked his braw new life,
But seen it's joys grew jaded;
As time ran on an funds ran low
The tinsel glitter faded.

But still he never stopped to think,
Or coont the *real* cost;
The mair he drank the less he thocht
On a'thing that he'd lost.

His siller deen, he turned his haun
To beggin in the streets;
His bed a corner in the park,
An newspapers for sheets.

Ae nicht, as he lay shiverin
In the shelter o' a tree,
He thocht, "My father's hired men
Are better aff than me.

"I've been a feel; I surely ken
The mony wrangs I've done
To God an man. I'm jist nae fit
To be my father's son.

"But still I'll tak the lang road hame,
And ask if he'll mak me
A ploughman or an orra loun;
That's aa I'd seek to be.

"A ploughman or an orra loun:
O better far to be,
Than walk the streets o' London toun
An sleep aneth a tree."

It fell aboot the bonny month
When lambs are on the hill,
An bluebells in the pasture,
An swallows start to build,

When he was still a lang wye aff
His father saw him comin;
Across the howe, doon by the burn;
The aul man started runnin.

"O Geordie loun, I've missed ye sair."
His voice was thick wi tears.
"Now God has listened to my prayers;
I've waited aa these years."

"O father, I hae deen great wrang.
Please dinna greet like yon.
I've broke your hert; I'm jist nae fit
To be my father's son."

His father hugged his neck an cried,
"My youngest son's come hame!
Gang fetch some claes an sheen for him;
Oor Geordie's back again!

"Tell Cook to set the tables
Wi aa the best o' maet;
An kill yon muckle bubbly jock;
We'll hae to celebrate."

"What's aa the cairry-on aboot?"
Pipes up the elder son.
"Yon drunkard back fae London toun,
Now aa his siller's gone?

"I've worked this fairm for twenty year,
An seldom aff a day.
Yet never once in aa that time
Did I ever hear ye say,

"*Well done my loun,* or *Thank ye lad;
It's good to hae ye here.*
No, never yet a word o' thanks;
Nae once in twenty year.

"*He's* squandered aa your money
On drink an fancy dames,
An now ye throw a party
To celebrate he's hame."

The aul man's een were full wi tears.
"Ye've workit lang an hard,
And aa I hae is yours, my loun.
I love ye *baith*," he said.

"But now your brither's hame again,
We thocht we'd lost forever,
I've baith my louns; my joy's complete;
Let's welcome him thegither."

*T*he Elder
and the Tinkie

The kirk was staunin empty
In the chilly evenin air
When an elder and a tinkie
Came along to say a prayer.

The elder marched doon to the front
His richtfu' place to tak:
The tinkie creepit in the door
An sat richt at the back.

The elder's prayer

"Now I'm an upright kind o' chiel,
As, Lord, I'm sure ye ken.
I thank thee, Lord, that I am nae
The same as ither men

"Wha steal an cheat an brak thy law,
An tak thy name in vain.
My only thocht, to serve thee, Lord,
An glorify thy name.

"I tak in the collection
In the Sunday-mornin tray;
I *never* miss a meetin,
An ye *ken* how much I pray.

"Ye ken I dinna gamble,
And I dinna drink (a lot);
I dinna gang wi weemen
(well nae since I was caught).

"I read thy holy scriptures
And I ponder what they say
Aboot predestination
An the few that find the way.

"I thank thee, Lord, for makkin me
Ane o' thy chosen few;
An upright pillar o' thy kirk;
A christian through an through."

Amen.

The tinkie's prayer

The tinkie bowed his heid an prayed
Upon his bended knee.
"O Lord, I ask thy mercy on
A sinner-chiel like me.

"I ken it's been a whilie
Since I visited your hoose:
Nae since I pinched the offerin
An spent it aa on booze.

"I've a weakness for a glaiss o' beer
It's true, O Lord, I ken;
An whiles I gie an antrin sweer
Or tak thy name in vain.

"An there's ither things I canna mind,
But I'm sure ye'll ken them tee;
Forgie me aa my trespasses;
Please hae mercy, Lord, on me.

"For the evil that I wouldna
An the good I dinna dee,
O Lord, I ask thy mercy on
A sinner-chiel like me."

Amen.

*O*verheard
at the Market

*Three wifies discuss Jesus, touching on various
aspects of his life and ministry and how they affect
contemporary society. Their own views and prejudices also
become clear.*

In a little fishin village
On the shores o' Galilee,
Some wifies sat an blethered
In the shade aneth a tree.

First wifie   "Did ye hear aboot yon Jesus,
What he did the ither day?
He fed *five thoosan* folk ye ken;
At least that's what they say."

Second wifie   "It couldna been *five* thoosan;
That would tak an afa maet."

Third wifie   "Well my cousin's man was there;
He'd as much as he could aet.

"They only used five barley loafs
An twa sma fish: that's aa;
And they filled *twelve baskets* up
When the crowd had gaen awa."

First wifie   "That's anither o' his *miracles;*
He daes them aa the time.
Oor Mary saw him dee ane once:
Turnin watter into wine."

Second wifie   "He's jist a common conjuror!
What eese is aa that tricks?
He jist daes it to impress folk;
I dinna think that's richt."

Third wifie   "He's *nae* a common conjuror;
He's a teacher o' God's word.
Some say he's the *Messiah,*
An there's ithers ca' him *Lord.*"

First wifie   "He healed yon mannie's withered haun
In the synagogue they say.
The pharisees were furious;
It was on the Sabbath day."

Third wifie   "That's richt, he's ayeways curin folk:
The blin, the sick, the lame.
He even casts oot *demons!*
He daes it in God's name."

Second wifie   "I've heard he's jist a jiner;
Comes fae *Nazareth* ana'.
An the *company* he keeps!
Jist nae decent folk ava.

"The maist o' his disciples
Are jist common fishermen;
There's ane's a *tax collector;*
An yon *woman!* Well, ye ken."

First wifie   "At least he speaks to common folk;
Nae like yon pharisees.
Did ye see him wi the bairnies?
They were climmin on his knees."

Second wifie   "I wouldna let *mine* speak to him;
Pits ideas in their heids.
They say he tells them *parables:*
Funny stories aboot weeds."

Third wifie   "I heard him in an argument
Wi the teachers o' the law;
He fairly made a feel o' them,
An the pharisees ana'.

"Na, the elders dinna like 'im
'Cause he speaks the *truth* ye ken:
He tells them what they're deein wrang.
Aye! he's ower sharp for them."

Second wifie   "I've heard they're oot to get 'im
'Cause he argues wi their creed.
Mind what happened till his cousin:
Herod chappit aff his heid!"

First wifie   "Well I think they ocht to leave 'im;
He's a better man than them.
They're jist jealous o' his influence
Wi the common folk ye ken.

"How's your lounie deein onywye?
Is he ayeways takkin fits?
Ye should tak 'im up to Jesus;
He could maybe mak 'im richt."

Second wifie "I wouldna let him near my bairn;
I've telt ye that afore.
What's aa that muckle crowd o' folk
That's gaithered roon my door?"

Third wifie "There's your husband an your lounie;
My, he's fairly lookin weel.
What's that the folk are shoutin?
Your lounie has been healed!"

*P*alm Sunday

The cheerin crowds had gaithered
To watch the teacher come:
The blessed son o' David;
The Lord's Anointed One.

"Hosanna in the highest!"
They sang to welcome him,
Jist like the Christmas angels
These mony years lang syne.

The aul folk waved palm branches
An strewed them at his feet;
The little bairnies clapped their hauns
An cheered him doon the street.

A teacher on a donkey
That would set his people free;
They'd never seen the like afore;
They danced an sang wi glee.

But they never saw him greetin
As he neared the city gates,
An thocht aboot Jerusalem,
An mourned the bairnies' fate.

*T*he Widow's Offering

In the courtyard o' the temple
Whar the Lord had gaen to pray,
On a table by the entrance
Stood a big collection tray.

There was young folk, there was aul folk,
There was weemen, there was men;
The Lord was sittin watchin
As they drapped their money in.

Some wealthy folk pit in a lot
An some nae much ava;
Then a peer an ragged widow
Came along an gave her aa.

She drapped her offerin in the tray,
A sma yet great donation:
Twa maiks she gave; 'twas aa she had
Atween her an starvation.

The widow turned an went her wye;
Her offerin had been made.
Jesus turned to his disciples.
"I'll tell ye this", he said:

"Yon widow's gift, though jist twa maiks,
Was mair than aa the lave:
They gave the thing they didna need,
But aa she had she gave."

Gethsemane

The nicht was dark withoot a moon;
Their herts were ill at ease.
They sat there broodin in the gloom
Aneth the olive trees.

The darkness crowded roon them
An whispered in their ears;
It froze the marrow in their banes
Wi black an nameless fears.

The gairden was a bonny place
O' flooers an shady neuks
When sunshine filtered throwe the trees
Abeen the windin brook.

They used to come here often
To listen to their Lord
As he walked among the olive groves
An spoke aboot God's word.

But in the darkness o' the nicht
Their souls were overworn
Wi sense o' dark forebodin
And evil yet to come.

"Bide here an watch a while," he'd said.
"God keep ye in your faith.
My soul is sick wi sorrow;
Aye, even unto death."

PLATE *5*
—

The Prodigal Son

"My youngest son's come hame!"

PLATE *6*

Peter's Denial

"Hey! Wait anoo. You're ane o' them!"

A bittie further throwe the trees
He knelt in direst prayer;
In deepest grief and agony
His tortured soul lay bare.

"My Father, could ye find a wye
To spare me fae this oor,
I wouldna drink this bitter cup;
Yet nae my will, but yours."

Sad an weary, his disciples
Cast themsels doon on the grun
While their Maister prayed for courage
In the evil oors to come.

Their spirits had been willin,
But the flesh is unco weak;
He came back to whar he'd left them
An found them fast asleep.

"Simon Peter, are ye sleepin?
Could ye nae keep watch *one* oor?
Rise an pray now, Simon Peter,
That your courage may endure."

He went to pray a second time.
Alone, aneth the trees,
He kent the powers o' evil there
In dark Gethsemane.

His sweat, like muckle draps o' bleed,
Fell splashin to the grun.
"My Father, if it has to be,
Then let thy will be done."

He came back an found them sleepin.
Racked wi grief an worn wi pain,
He spoke nae word but turned awa
An went to pray again.

Again he prayed, "My Father,
I wouldna drink this wine,
For death's a bitter draucht to tak;
Yet nae my will, but thine."

At last he got his answer,
An he kent his time had come.
Now tears were mingled wae his sweat
Upon the dusty grun.

He went back to his disciples.
"Sleep on an tak your rest.
My path is clear; the time has come
To face the final test."

As he spoke, a noisy rabble
In the olive grove appeared;
At their heid, a weel-kent figure.
"Judas, what ye deein here?"

*P*eter's Denial

The Lord an his disciples
Were sittin in the gloom.
They spoke nae word; their herts were full;
Their silence filled the room.

They were aetin the last supper
An the Lord had broken bread;
They had drunken wine thegither.
"I must leave ye now," he said.

"I canna bide much langer,
For my work is nearly done.
I've to mak a lonely journey;
Whar I'm gaun, ye canna come.

"My bairns," he said, "I love ye weel;
We've seen a lot thegither.
When I'm awa, dee this for me:
Be good till ane anither,

"That aa the folk may ken ye're true
Disciples o' the Lord.
Though seen I'll hae to leave ye,
As it's written in the word."

"Lord, whar ye gaun?" said Peter.
"Why can't I come ana'?
Ye ken I'll never leave ye;
Why must ye gang awa?"

"O Peter, Peter, hear my words:
I walk this road mysel.
I've prayed for God to gie ye strength,
Although your hert may fail."

"I'll *never* leave ye, Lord," he said.
"My courage winna fail.
O Lord, ye ken I'd dee for ye;
I'd follow ye throwe hell!"

"This vera nicht," said Jesus,
"This nicht I'm ta'en awa,
Three times will you deny me
Afore the cockerel cra."

It was in the palace courtyard
As the nicht was growein aul;
The Palace Guard had lit a fire
To keep them fae the caul.

The guards were huddled roon the fire,
Aa tryin to keep het,
When a hooded figure jined them
Fae the shadows by the gate.

The stranger's face was hidden
As he stopped to tak his place,
When a sudden flaucht o' win
Blew the hood back aff his face.

"Hey! Wait anoo. You're ane o' them!"
A servant lassie cried.
"I saw ye wi yon Jesus:
Ye were walkin by his side."

"It wasna *me!*" said Peter,
"Whaever else ye saw.
I dinna even *ken* 'im!"
An quickly turned awa.

He pulled his hood doon owre his een
An strode back to the gate;
He could wait there in the darkness
Till he kent his Maister's fate.

He'd been wae him in the gairden
When they'd come to tak the Lord;
Deen his utmost to defend him;
Stood his grun an drawn his sword.

But the Lord had said, "Nae fechtin!"
What was he supposed to dee?
So he'd fled into the darkness
An hid ahin a tree.

He had watched them fae the shadows
As they bound his Maister's hauns;
Then had followed at a distance
Till he saw whar they were gaun.

But now the guard was changin.
As they passed his hidin-place,
A gleam shone fae their torches
An lit up Peter's face.

Then a sodjer recognised 'im.
"Hey! You're ane o' Jesus' men!
Ye were wae him in the gairden
When we came to tak 'im in."

"It wasna me! I tell ye,"
Said Peter wi a sweer.
"I've never even seen 'im!"
A servin quine stood near.

"Ye're richt," she said. "That's ane o' them.
He's fae Galilee ana';
He needna try an hide it,
For his tongue gies him awa."

"I sweer, I dinna ken 'im!
He's nae freen o' mine ava."
Then Peter started cursin,
When he heard a cockerel cra.

It pierced him like a dart o' fire,
An he thocht on Jesus' words:
"Three times afore the cockerel cra,
Will you deny your Lord."

An Peter went oot an grat sair.

*T*he Dying Thief

The mockin crowds had gaithered
To watch the teacher dee.
They taunted him an jeered him
As he hung upon the tree.

"Come, teacher, save yoursel now!
If ye really are God's son,
Come doon an we'll believe ye:
The *Christ!* the *Chosen One!*"

He'd been crucified that mornin
Wi a thief on either haun;
Now the noonday sun shone fiercely
On that het an thirsty laan.

As the oors crept slow an painful,
What a shameful death to dee:
Hingin on a Roman gibbet
On the hill o' Calvary.

"If ye really are the Christ
Ye would get doon aff the cross."
The dyin thief cursed throwe his pain.
"Come! save yoursel and us."

But the ither thief rebuked him.
"Haud your wisht man! Let him be;
For the teacher's deen nae wrang
Though they've nailed him till a tree."

He turned an looked at Jesus,
Wincin in his agony.
"When ye come into your kingdom,
Master, will ye mind on me?"

"Afore the day is ower
An the sun has left the skies,
This day will you be wae me,
This day in paradise."

His body hung on Calvary
Ere the sun had left the skies,
But his soul had gaen to heaven,
To his Lord in paradise.

*T*he First Easter

The streets were dark and empty
In the oor afore the dawn;
Naebody heard her leave the hoose,
Nor saw whar she was gaun.

Naebody saw her tak the path
That climmed the steeny slope
To the Gairden whar they'd laid him,
Numb wi grief, bereft o' hope.

She had often heard his teachin
As she sat at Jesus' feet;
Now his promises seemed empty,
An the future cauld an bleak.

There was one last thing to dee
For the Maister she'd adored,
An she cairried oils an spices
For the body o' her Lord.

By the time she reached the Gairden
The Eastern sky was grey,
An the mornin star was risin
In the threshold o' the day.

At the grave she stood dumfoonert,
Disbelievin what she saw,
For the tomb was lyin empty
An the steen was rolled awa.

She ran back doon the steeny path,
Throwe the early-mornin toun.
She could hardly speak for sobbin
When she reached the upper room.

"A'richt, my lass," said Peter.
"Tak your time an tell's again."
"They've ta'en the Lord awa," she sobbed.
"Whar he's at I dinna ken."

"I'll awa an see what's happened."
Peter took her by the haun.
John already had his coat on.
"Come on, Peter, if ye're gaun."

John an Peter, feart an puzzled,
Stood inside the empty tomb
As the early mornin sunshine
Passed the door an lit the gloom.

They could see the grave claes lyin
In a heap upon the fleer;
Peter stooped to lift the headcloth.
"Ae thing's sure: there's naebody here."

Sad an tired, the twa disciples
Made their wye back doon the hill.
Mary bade there by the graveside,
Saftly greetin till hersel.

Suddenly twa shinin angels
In the empty tomb appeared.
"Woman, tell us why ye're greetin."
Mary lookit up in fear.

"Cause they've ta'en awa my Master,
And I dinna ken whar till."
Mary turned an saw a stranger
Standin by her on the hill.

"Lassie, tell me why ye're greetin."
Gently came the stranger's word.
"Please sir, tell me if ye've moved him;
Tell me whar ye've pit my Lord."

"Mary." Kindly spoke the stranger.
Jist one word an then she knew:
He had won the final victory;
Aa his promises were true.

"Master!" Joyfully she wept then
As she fell an clasped his feet,
For the Lord she loved was risen;
Life was good, an life was sweet.

"Dinna haud me yet," said Jesus,
"For I'll hae to gang awa
To my Father an your Father,
To my God an yours ana'.

"But gang an tell my brithers
That I've risen fae the dead,
An we'll meet in Galilee
In a little while," he said.

The mornin sun shone brightly
As she walked back doon the hill;
The little birds sang sweetly;
Mary sang a tune hersel:

Sang for the sunshine in her hert,
An for aa she'd seen an heard,
On that foremost Easter mornin
When she met the risen Lord.

*B*y the Shores o' Galilee

Ever since the Lord had left them,
The disciples had gaen hame
To the shores o' Galilee,
To the fishin once again.

They were weary, tired an sair
As they rowed the boat ashore;
They had chauved aa nicht for naething,
An the same the nicht afore.

But in the East the sky was reed;
Anither day was brakkin;
And on the shore, along the beach,
They saw a stranger walkin.

"Good mornin, freens," he shouted.
"Have ye ony fish aboard?"
The disciples turned an lookit,
But they never kent the Lord.

"Nae fish ava," said Peter,
"Though we've shot an hauled aa nicht.
We've tried the deep; we've tried the shaul;
Now it's comin in daylicht."

"Try *one* mair haul," said Jesus.
"I ken ye're tired wi tryin,
But shot your net to starboard;
That's whar the fish are lyin."

They turned an shot the gear awa
Oot owre the starboard side.
Then up she came: a muckle haul!
"We've done it!" Peter cried.

They couldna get the net aboord,
However much they streetcht.
"Stand by your oars," said Peter.
"We'll towe 'er to the beach."

John lookit at the stranger
Wha was watchin fae the shore,
Then he mined anither mornin
And a haul they'd haen afore.

"It's the Lord himsel!" he shouted.
"Lord, I'm comin!" Peter cried.
He hauled his fisher's coat on
An loupit owre the side.

The ithers rowed the boat ashore;
The risen Lord stood there.
They smelt the tang o' woodsmoke
On the caller mornin air.

Some fish were roastin on the coals,
An freshly bakit bread.
"Come awa an get your breakfast;
A'thing's ready," Jesus said.

They sat aroon the fire an spoke
O' a'thing that they'd deen:
The roads they'd walked; the folk they'd met;
The miracles they'd seen.

The Lord an Peter took a walk
Along the shore themsels;
The mornin sun was risin
Abeen the Eastern hills.

It turned the watters aa to gold
An woke the sleepin laan;
And in the trees along the shore
The little birdies sang.

"Div ye love me, Simon Peter?"
Peter turned an scratched his head.
"Lord, ye ken I love ye dearly."
"Feed my sheep then," Jesus said.

"Div ye love me, Simon Peter?"
Jesus speired at him again.
Peter lookit at his Maister.
"Lord, I love ye weel; ye *ken*."

"Feed my sheep then, son of Jonas."
Peter winnered what to dee.
Then again the Master asked him,
"Simon Peter, lovest thou me?"

He was grieved the Lord kept askin,
But he answered once again:
"Lord, ye *ken* how much I love ye.
Div ye nae hear what I'm sayin?"

Jesus lookit at him kindly
As a tear rolled doon his cheek.
"Watch my folk when I'm awa then:
Simon Peter, feed my sheep."

PLATE 7

The First Easter

"Mary."

PLATE *8*

By the Shores o' Galilee

But in the East the sky was reed;
Anither day was brakkin . . .

Appendix I - **G**LOSSARY

Choice of words

Most Scots words have many regional variants, so it is impossible to please all of the people all of the time, as any variant will seem *wrong* to someone.

The language of the poems is based on the vernacular of the North-east, but I have tried not to use too many local words, preferring generally-known variants where these existed, and the stories should be accessible to any Scot or interested reader.

In choosing words, the flow of the verse and clarity of expression have taken precedence over 'authentic' dialect, and I have not hesitated to use English words where these suited my purpose better.

Verbs

Predictable past participles are not listed, e.g., '‒ it' and '‒ in' endings. So '**loup**' – to leap – is listed, but not '**loupit**' – leaped. 'Difficult' or unpredictable past participles are listed, e.g., '**gaun**' – going.

'‒ in' endings

Where the only difference between an English word and its Scot's form is the '‒ in' ending instead of '‒ ing', the word is not listed, e.g., '**mornin**'.

'‒ ie' endings

The suffix '‒ ie' may be used for the diminutive, as in '**lounie**' – small boy etc. It is also used to make a word less formal and give it a familiar or homely sense, as in '**wifie**' where the diminutive is not necessarily implied.

Nautical terms

Certain nautical terms and other English words which may not be well-known, e.g., '**gunnel**' and '**screech owl**', are included for convenience.

A

a', aa . . . . all
abeen . . . . above
a'body . . . . everyone
aboord . . . . aboard
aboot . . . . about
adee. . . . . to do
ae . . . . one
aet . . . . to eat
afa . . . . awful *(a great amount of)*
aff . . . . off
afore . . . . before
aheid . . . . ahead
ahin . . . . behind
ain . . . . own
airm . . . . arm
an . . . . and
ana' . . . . as well
ane . . . . one
aneth . . . . beneath
anither . . . . another
anoo . . . . just now
antrin . . . . occasional
a'richt . . . . alright
aroon . . . . around
aside . . . . beside
a'thing . . . . everything
atween . . . . between
aul, auld . . . . old
auler . . . . older
ava . . . . at all
awa . . . . away
aye, ayeways . . . . always, still

B

bade . . . . stayed; lived
bairn . . . . a child

baith . . . . both
banes . . . . bones
bide . . . . to stay; to live (reside)
bittie . . . . a short distance
bla' . . . . to blow
bleed . . . . blood
bleed-reed . . . . blood-red
blether . . . . to gossip
blin . . . . blind
bonny . . . . fine, beautiful
a bonny wye . . . . a considerable distance
brae . . . . a hillside; a steep slope
brak . . . . to break
braw . . . . fine, splendid
brichter . . . . brighter
brichtness . . . . brightness
brither . . . . brother
brocht . . . . brought
bubbly jock . . . . a turkey cock
burn . . . . a stream
byre . . . . a cowshed

C

ca' . . . . to call
cairry . . . . to carry
cairry-on . . . . a rumpus
caller . . . . cool
canna . . . . can't
caul, cauld . . . . cold
chap . . . . to knock; to chop
chauve . . . . to struggle; to work laboriously
chiel . . . . a fellow
chingle . . . . shingle
claes . . . . clothes

clim	to climb
coont	to count
couldna	couldn't
cra	a crow; to crow
craitur	creature *(sympathetic or affectionate)*

D

daes	does
the day	today
daylicht	daylight
dee	to do; to die
deein	doing, dying
deen	done
deet	died
deid	dead
denner	dinner
didna	didn't
dinna	don't
div	do *(emphatic & interrogative)*
doon	down
dother	daughter
dour	stern
drap	a drop; to drop
draucht	a draught
droon	to drown
dumfoonert	dumbfounded, speechless

E

'ear	a year
een	eyes
eese	use

F

fa	to fall
fae	from
fairly	certainly
fairm	a farm
fairmer	a farmer
feart	afraid
fecht	to fight
feel	a fool
flaucht	a gust
fleer	a floor
flooer	a flower
focht	fought
forbye	besides
forfochen	exhausted
forgie	to forgive
freen	a friend; relative

G

gaen	gone
gairden	a garden
gaither	to gather
gang	to go
gaun	going
gey	rather, very
gie	to give
gie's	give us
glaiss	a glass
gran	grand
grat	wept
greet	to weep
growe	to grow
grummle	to grumble
grun	ground
gunnels	*(naut.)* the rails of a boat
stappit to the gunnels	full up to the rails *(said of a boat with a heavy catch aboard)*

g'wa		go away *(abbr. of 'gang awa')*
gweed		good

H

hae		to have
haen		had
hairm		harm
hame		home
haud		a hold; to hold
haud your wisht		hold your tongue
haun		hand
haunle		to handle
heicht		height
heid		head; *(naut.)* the stem of a boat
hert		heart
het		hot
himsel		himself
hing		to hang
hinna		haven't
hirple		to hobble
hoose		a house
howe		a hollow
hunner		a hundred
hyowin		hoeing
hyse		to hoist

I

impidence		impudence
ither		other

J

jine		to join
jiner		a carpenter
jist		just

K

ken		to know
kent		knew
kirk		a church

L

laan		land
laist		to last
lang		long
lang syne		long since
langer		longer
lass, lassie		a girl; daughter; familiar or affectionate term for a young woman
the lave		the rest
leal		faithful
licht		a light; to light
the lift		the heavens
loch		a lake
loun		a boy, youth; son
lounie		a small boy
loup		to leap
loss		to lose
lug		ear; the handle of a cup, bowl etc.
lump o' watter		*(naut.)* fisherman's expression for a huge wave

M

maet		food
maik		a halfpenny
mair		more
mairriage		marriage
maist		most
maister		master

mak	to make
mind, mine	to remember
mither	mother
mony	many
the morn	tomorrow
muckle	great, large, much
mysel	myself

N

nae	no, not
naebody	no-one
naething	nothing
naeweel	ill
naewye	nowhere
nane	none
narra	narrow
needna	needn't
neep	a turnip
neipers	partners
neuk	a secluded corner
nicht	night

O

o'	of
ocht	ought
ony	any
onywye	anyway
oor	our; an hour
oot	out
or	before
orra loun	a boy who does odd jobs on a farm
ower, owre	over
in her oxter	in her arms

P

peer	poor
pit	to put

Q

quaet	quiet
quine	a girl

R

reed	red
richt	right
richtfu	rightful
roch	rough
roon	round

S

sae	so
saft	soft
saftly	softly
sair	sore, sorely, hard, bitterly
screech owl	a barn owl
scunner	to become fed up
seen	soon
shak	to shake
shalla	shallow
shaul	*(naut.)* a shallow part of the sea
sheen	shoes
sheets	*(naut.)* ropes used to control a sail
stern sheets	*(naut.)* the after part of a small boat
shieling	a high summer pasture
shooders	shoulders

shot	*(naut.)* to shoot i.e. to lower and place (nets) in position
shouldna	shouldn't
sicht	a sight
siclike	suchlike
siller	money
sma	small
sna	snow
sodjer	a soldier
speir	to ask
stappit	packed
staun	to stand
steen	a stone
steeny	stony
steer	a commotion
streetch	to stretch
sweer	an oath; to swear
syne	then
lang syne	long since

T

tae	to
ta'en	taken
tak	to take
to tak (somebody) on	to acknowledge *(someone)*
tee	as well
teem	empty
teir	to tear
telt	told
teuchat	a lapwing
the day	today
thegither	together
the morn	tomorrow
themsels	themselves
thocht	thought

thoosan	a thousand
throwe	through
till	to
tinkie	an intinerant pedlar
toun	a town
towe	to tow
traivel	to travel
truck wi	to be on friendly or intimate terms with
twa	two
twathree	two or three

U

unco	extremely

V

vera	very

W

wa	a wall
wae	with
watter	water
lump o' watter	*(naut.)* fisherman's expression for a huge wave
wauken	to wake
weather rail	*(naut.)* the windward rail
weel	well
weel-kent	well-known
weemen	women
weer	to wear
weet	wet
weicht	weight

werna	weren't
wha	who
whaever	whoever
whar	where
what wye	why
whiles	sometimes
whin	a gorse bush
whit	what *(emphatic)*
wi	with
win	wind
winna	won't
winner	to wonder
winward	*(naut.)* the direction or side from which the wind blows
wir	our *(unstressed)*

wirsels	ourselves
wisht	be quiet
haud your wisht	hold your tongue
withoot	without
wouldna	wouldn't
wrang	wrong
wrocht	wrought
wye	way

Y

ye	you
yon	that
yoursel	yourself
yowe	a ewe

Appendix II - **B**IBLICAL **R**EFERENCES

Some of the stories appear in more than one gospel, as slightly varying accounts of the same event. Certain poems combine elements from these different accounts, but as a comprehensive list would be unwieldy the references given here are for the *main* sources.

One poem, **'Overheard at the Market'**, has many references and interested readers may care to track down the original stories for themselves.